max
MaLaBAR

EOIN COLFER

MAX MALABAR

Trastadas y desastres

Ilustraciones de Tony Ross

Montena

Título original: *The Legend of the Worst Boy in the World*
Publicado originalmente por Puffin Books, Penguin Group, Londres, 2007
Diseño de la cubierta: Departamento de diseño de Random House Mondadori / Judith Sendra

Primera edición: julio de 2008

Printed in Spain – Impreso en España

ISBN: 978-84-8441-435-3
Depósito legal: B-25.657-2008

Compuesto en Fotocomposición 2000, S. A.
Impreso en Liberdúplex, S. L. U.
Sant Llorenç d'Hortons (Barcelona)

Encuadernado en Encuadernaciones Roma

GT 1 4 3 5 3

Para Finn y Seán,
los mejores niños del mundo

Capítulo I

No es justo

Tengo cuatro hermanos y siempre se están quejando por algo. Si alguna vez tengo un problema y he de hablar de él con mi madre, siempre suele haber al menos dos de mis hermanos en la cola antes que yo, quejándose de alguna completa estupidez. Yo podría tener un verdadero problema, como un padrastro o un calcetín extraviado, y allí están ellos malgastando el tiempo de mamá con tonterías como que se han manchado la cara de mermelada o que se han puesto los pantalones del revés.

Cada uno de mis cuatro hermanos tiene su problema favorito por el que le gusta lloriquear al menos una vez al día. Mamá llama a estos problemas sus «caballos de batalla». Cuando mis hermanos empiezan a gimotear, papá hace ruidos de caballo y pone cara de «ya empezamos otra vez», pero mamá los escucha siempre porque por algo es nuestra madre.

Marty es mi hermano mayor, y su caballo de batalla particular es que nunca le dejan hacer nada y que, para el caso, lo mismo le daría estar en la cárcel.

—¿Por qué no puedo tener una moto? —refunfuña siempre—. Ya tengo diez años, casi dieciséis. Con el casco puesto la policía nunca lo notará.

Otro es:

—¿Por qué no puedo tener una mesa de billar de tamaño de las de verdad en el garaje? Solo está lleno de herramientas viejas y un coche;

nada importante. Yo pagaré la mesa de billar en cuanto me convierta en un jugador de fútbol famoso.

A veces papá entra en una habitación en el preciso instante en que Marty se está quejando de algo. Dice que Marty es mucho más entretenido que cualquier programa de televisión que pueda ver.

—Mesa de billar —se ríe papá—. Marty, mi niño, me matas de la risa.

Claro que esto no es lo que Marty quiere oír, así que se va hecho una furia. Una vez, cuando Marty regresó después de una rabieta, papá le dio un Oscar de cartón al mejor actor.

Me llamo Max y soy el siguiente de la fila. Después de mí va mi hermano, Donnie, cuyo caballo de batalla es el pelo. Por mucho que mamá se lo lave o se lo peine, siempre le pasa algo malo.

—Se me pone de punta por detrás, mamá.

Así que mamá se lo alisa por detrás.

—Venga, Donnie, ya puedes irte.

—Aún lo tengo de punta, mamá.

—No, ya no. Sufres alucinaciones con el pelo. Ahora vete o llegarás tarde al colegio.

—Tengo un pelo de punta. Estoy seguro. Las niñas lo verán y me pondrán un mote. Me llamarán Pelopincho. Será horrible.

Y mamá saca una botella de agua y rocía la cabeza de Donnie.

—¿Mejor?

—Supongo.

Esto ocurre cada dos días. Los demás, Donnie quiere llevar el pelo de punta porque le parece que mola.

Mis hermanos tercero y cuarto, Bert y M. P., han inventado nuevas palabras para poder quejarse y pedir lo que quieren con más eficiencia. La palabra inventada por Bert es *medas*. Por ejemplo:

—¿*Medas* una tableta de chocolate?

—Antes de comer no, cielo —dice mamá.

—¿*Medas* una pastilla, solo una pastilla?

—No, cielo. La comida está casi lista.

—¿Pues *medas* una bolsa de patatas fritas?

—Me parece que no lo entiendes, Bert. Ni dulces ni patatas antes de comer.

—¿*Medas* caramelos para la garganta?

—Los caramelos para la garganta siguen siendo dulces.

Mamá tiene mucha paciencia. Papá solamente aguanta dos *medas* antes de enfadarse.

M. P. (Medio Palmo) es el pequeño, y odia ser el bebé. La palabra que ha inventado para quejarse de ello es *nosjusto*. Por ejemplo:

—*Nosjusto*. La mamá de Chrissy le deja llevar el pelo al cero, ahora parece que tenga al menos cinco años y medio —dijo una tarde después de pasar la mañana en el jardín de infancia.

—Yo no soy la responsable de Chrissy —dijo mamá—. Soy la resposable de ti, y digo que no, que no te vas a pelar al cero.

—*Nosjusto* —berrea M. P.—. Barry tiene un tatuaje adhesivo, como los que llevan los chicos mayores.

—Nada de tatuajes adhesivos. Ya hemos hablado de esto.

—*Nosjusto* —refunfuña M. P. y continúa—: ¿Y un pendiente? Mucha gente lo lleva. *Nosjusto* que yo no tenga uno.

—A veces la vida no es justa —replica mamá, y coge en brazos a M. P. hasta que empieza a chuparse el pulgar. Al cabo de dos minutos está dormido como un tronco.

A veces M. P. habla en sueños. Adivinad lo que dice...

Todas estas quejas significan que cuando Marty y yo llegamos a casa con nuestros problemas, después del colegio, suele haber un hermanito subido a cada una de las rodillas de mamá, gimoteando por sus problemas de bebé. E incluso aunque, milagro de milagros, haya una rodilla libre, mamá ya se ha puesto el piloto automático de negar con la cabeza. El piloto automático del «no» es cuando los adultos no escuchan de verdad lo que dice un niño; se limitan a decir que no con la cabeza cada cinco segundos más o menos, hasta que el niño se va.

Así que Marty y yo decidimos que teníamos que buscar a otro adulto para hablar de nuestros problemas. Papá era el siguiente blanco, pero a veces trabaja hasta tan tarde que ni siquiera le vemos el pelo antes de irnos a la cama. Marty calculó que papá solo tenía tiempo para una tanda de quejas, y que la tanda era suya. Así que tuve que buscarme a otro. Alguien que supiera escuchar y que tuviera un montón de tiempo libre. Conocía a la persona ideal: el abuelo.

Capítulo 2

El abuelo

Todos los fines de semana, papá nos mete en el coche y bajamos casi cincuenta kilómetros por la costa hasta la casa de sus padres. Nuestros abuelos viven en el pueblo costero de Duncade, que está en un cabo que se mete en el mar como una punta de flecha de la Edad de Piedra.

El abuelo es uno de los dos fareros de Duncade, y vive con nuestra abuela en una casa en la planta baja. Cuando sea mayor, mi plan es relevar al abuelo en su trabajo y vivir en la casa del faro.

Colgaré un cartel en la puerta que diga: SE PROHÍBE LA ENTRADA A LOS HERMANOS PEQUEÑOS. Tampoco dejaré entrar a las niñas, salvo a mi madre, para que pueda entrar y hacer la comida, la limpieza y todo eso.

El abuelo ya ha empezado a enseñarme el oficio. Los sábados subimos los ciento dieciséis escalones que llevan hasta la cúspide de la torre para limpiar las lentes del faro en la cámara de señales. El abuelo lleva un cinturón de loneta especial con bolsillos para el pulimento, los trapos y una botella de agua. En mi noveno cumpleaños me hizo un cinturón para mí también.

—Aprendí a coser en la marina mercante —me explicó ese día, abrochándome la hebilla del cinturón—. Ahora tú eres mi ayudante oficial.

Me encanta ser el ayudante oficial del abuelo porque la función me va que ni pintada. Marty no le ayudaría si no hubiera dinero de por medio, y a mis hermanos pequeños no les dejan subir la estrecha escalera de caracol porque es demasiado peligrosa.

Así que el abuelo y yo subimos la escalera. Cuento cada escalón por si se pierde alguno, pero siempre me sale el mismo número, ciento dieciséis, si cuentas el primer escalón gigante dos veces.

—Este es el escalón gigante de Byrne Patapalo— me contó una vez el abuelo—. Antes todos los escalones eran grandes, hasta que Byrne Patapalo, un farero que tenía una pierna de madera, los rebajó con cincel y martillo, empezando por

arriba. Tardó veinte años, y por desgracia murió antes de poder acabar el último. Y todo porque los escalones eran un poco altos para él.

Es como si cada escalón tuviera una historia y, a veces, el abuelo me las cuenta todas antes de que lleguemos arriba. Pero por fin llegamos, y lo primero que hacemos es tomar un gran trago de nuestras botellas de agua. Aunque no muy grande, porque ciento dieciséis escalones nos separan del baño más cercano.

La cámara de señales está toda acristalada para que se refleje la luz. Esto significa que cualquiera que suba a la cámara de señales disfruta de una fantástica vista del mar y el cabo. Ante nosotros, hileras de olas blancas llegan desde el horizonte, y detrás el cabo se extiende cortando el mar como una línea gris.

—Los americanos pagarían mucho dinero por una vista como esta —dice el abuelo. Lo dice todo el rato, y probablemente tiene razón.

Después de admirar el paisaje un momento, subimos a una vieja escalera de madera y nos metemos en la misma lámpara. Es como meterse dentro de un jarrón de cristal gigante; cuando estás dentro te haces a la idea de cómo debe de parecerle el mundo a un pececito. Las lentes amplían todo, e incluso una mosca que se pose en el vidrio parece un monstruo gigante con ojos de bicho.

Un sábado, mientras estábamos dentro de las lentes, le conté mi problema al abuelo.

—Tengo un problema, abuelo —dije poniendo un poco de pulimento en mi trapo favorito.

—¿Cuál es, contramaestre?

El abuelo me llama contramaestre, que significa segundo de a bordo.

—Mi problema son… los problemas. No tengo a nadie a quien contar mis problemas. Mamá y papá están siempre demasiado ocupados.

—Esto es un problema —dijo el abuelo extendiendo una gota de pulimento por una de las lentes—. Todos necesitamos alguien con quien hablar.

—Así que he pensado que tal vez tú puedas ser mi alguien. La abuela dice que no tienes mucho que hacer salvo limpiar las lentes.

—Ah, ¿sí? ¿Eso dice tu abuela?

—Sí. Dice que el ordenador del faro lo hace todo y que tú solo te paseas por ahí arriba fingiendo que estás ocupado.

—Ya veo. Así que crees que tengo mucho tiempo para escuchar tus problemas, ¿eh?

—Eso creo.

El abuelo dejó de limpiar.

—Muy bien, de acuerdo, contramaestre, haremos un trato. Yo escucharé tus dramones si tú escuchas los míos.

Aquello me pareció justo, así que le tendí la mano.

—Trato hecho.

El abuelo me estrechó con fuerza la mano que le había ofrecido.

—Pero solo un dramón por semana. No quiero irme a la cama llorando cada sábado por la noche.

—Un dramón por semana.

—Y si son solo problemas pequeños, exagera un poco, para que sean interesantes. Me gustan las historias con animales de la selva.

—De acuerdo, abuelo —dije, aunque ninguna de mis quejas tenía que ver con animales de la selva. Había un gato de los vecinos que siempre me soltaba un bufido, pero probablemente aquello no contaba.

El abuelo acabó de limpiar y volvió a meterse el trapo bajo el cinturón.

—Muy bien, entonces hasta el próximo sábado. Espero que te pase algo malo de verdad porque hace años que quiero aliviar mi pecho de algunas historias.

Y, por divertido que parezca, creo que yo también esperaba que me ocurriera algo malo. Algo con animales de la selva.

Capítulo 3

Papel de aluminio

El siguiente fin de semana me estaba muriendo de ganas de volver a Duncade. Y también me moría de ganas de poder contarle al abuelo lo que me había ocurrido en el colegio.

Incluso mientras estaba sucediendo, pensaba que sería una gran historia para poder contarle al abuelo. Lo único que faltaba era un gorila, o tal vez mejor un mono aullador.

El abuelo no me dejó empezar hasta que acabamos de limpiar las lentes.

—De acuerdo, contramaestre —dijo entonces—. Te escucho. Tienes la cara roja de tanto aguantarte.

—Me da mucha vergüenza —dije fregando un gran círculo en las polvorientas lentes—. No podrás superarla.

—Ya veremos, contramaestre, ya veremos.

Y así le conté al abuelo la historia del problema de la semana.

—Casi no había ocurrido nada en toda la semana y pensé que no tendría nada que contarte. Entonces, el jueves ocurrió.

—Como siempre —dijo el abuelo.

—Allí estaba yo, en clase, portándome como un alumno brillante, lo que siempre hago.

—¡Qué pesadilla! —dijo el abuelo.

—No, no es eso. La parte fastidiosa ocurrió hacia las dos. Cuando tuve que pedir permiso al profe, que es una profesora, para ir al lavabo.

El abuelo dejó de limpiar.

—¿Es eso? Dime que hay algo más.

—Sí, hay algo más. Me senté en el váter y no había papel, pero no me di cuenta hasta que había acabado. Ya sabes a lo que me refiero.

—¡Oh! —dijo el abuelo—. ¡Qué feo!

—Tuve que gritar a la profesora que me trajera papel —dije tapándome la cara con las manos—. Todo el mundo lo oyó. Yo estaba súper avergonzado. Fue terrible, no te lo imaginas.

ICK

Me sentí bien al compartir mi historia con el abuelo. Solo con hablar de ello el recuerdo fue menos vergonzoso.

El abuelo resopló.

—Eso no es nada. ¿Quieres que te cuente una historia de váteres realmente embarazosa? Pues escucha esta. Cuando yo era joven no teníamos dinero para comprar papel higiénico, era un lujo. Así que mi madre usaba lo que encontraba por ahí. Primero utilizamos papel de periódico, luego bolsas de patatas fritas, luego trozos de cajas de cartón. Una vez incluso tuve que usar papel de aluminio.

—¿Papel de aluminio?

El abuelo asintió con tristeza.

—Sí. Tuve el culo imantado durante una semana. Por donde quiera que pasara, me seguían las brújulas y las chinchetas. Aprendí a tener cuidado antes de sentarme.

—Uau —exclamé.

—Sí —dijo el abuelo—. Esa sí que es una historia de váteres que da vergüenza. ¿Estás seguro de que quieres seguir con este intercambio de desdichas? Porque, para ser sincero, casi me quedo dormido mientras contabas tu historia.

—Sí, quiero seguir intercambiando historias. Estoy seguro de que la semana que viene me ocurrirá algo terrible.

Por desgracia, lo peor que me sucedió la semana siguiente fue que perdí un lápiz. Cuando se lo conté al abuelo, me respondió con un cuento sobre un tejón que le robó la cartera del colegio porque la confundió con otro tejón.

A la semana siguiente estaba seguro de que ganaría. El barbero había resbalado mientras me cortaba el pelo con la maquinilla eléctrica y me había dejado una franja calva desde la nuca hasta la coronilla. El abuelo miró un buen rato el trasquilón, luego se quitó la gorra y me enseñó el mordisco que le había dado un tiburón en la cabeza.

—Esta es buena —admití, y le pedí que me dejara la gorra.

Era inútil, me sucediera lo que me sucediese, al abuelo le había pasado algo un millón de veces peor. Le bastaba con hurgar en el pasado y sacar aquellas historias geniales. Yo no tenía la menor oportunidad. Él tenía setenta años y yo solo nueve, así que él atesoraba muchos más recuerdos entre los que elegir. Además, a mí no me había pasado nada realmente terrible. Nada que

pudiera compararse con un mordisco de tiburón en la cabeza. O, si me había pasado, debió de ser cuando yo era aún muy pequeño. Algo de lo que yo no podía acordarme.

Decidí que tenía que preguntárselo a papá. Él se acordaría de si alguna vez me había pasado algo horrible cuando era bebé. Algo que ni siquiera el abuelo pudiera superar.

Capítulo 4

El caramelo de goma en forma de niño

El miércoles siguiente conseguí encontrar a papá solo. Por lo general, Marty agarra a nuestro padre en cuanto entra por la puerta, pero, por suerte, a Marty le había salido un flemón y estaba arriba en cama.

Esperé hasta que papá ya se hubiera quitado el cinturón de carpintero y estuviera por fin en la mesa de la cocina con una taza de té, antes de pescarlo.

—Papá, tengo que preguntarte algo.

—¿Tienes la autorización de Marty? —bromeó papá.

—Marty no puede hablar hoy. Cuando abre la boca, le entra aire frío y le duele el flemón.

—Vale, muy bien. Quiero decir, muy mal. Es malo que al pobre Marty le duela la boca, pero es bueno que nosotros podamos hablar. ¿Y de qué quieres hablar, Max?

Me senté en una silla.

—El abuelo y yo disputamos una especie de concurso. Cada sábado le cuento el problema más gordo que he tenido durante la semana, y luego él me cuenta uno suyo de hace años.

—Eso es estupendo —dijo papá—. Es bueno tener alguien con quien hablar. Y tú eres el contramaestre, así que, ¿quién mejor que tu abuelo?

—Eso es lo que yo creía, pero...

—Pero ¿qué?

—Pero las historias del abuelo son mucho mejores que las mías. En las suyas salen tiburones y tejones y papel de aluminio. En las mías lo único que salen son maquinillas cortapelos y papel de váter.

Papá asintió muy serio.

—Los tiburones son mejores que las maquinillas para cortar el pelo.

—No puedo recordar ni una sola cosa terrible que me haya sucedido, ni una sola.

Papá se rascó el mentón.

—Bueno, hay una cosa. En aquella época solo tenías dos años, así que es probable que no lo recuerdes.

Abrí los ojos como platos.

—¿Fue terrible?

—¡Uy, sí!

—¿Y peligrosa?

—¡Por supuesto!

—Cuéntamela, papá. Y no te olvides ni del más mínimo detalle. Necesito saber la peligrosa y terrible verdad.

Así que papá me contó esta historia. Era peligrosa y era terrible, pero lo mejor de todo es que era cierta.

Hace siete años, en casa solo había tres niños, pues Bert y M. P. aún no habían nacido. Donnie aún era un bebé que se pasaba la mayor parte del tiempo ensuciando los pañales e intentando escapar del parque infantil. Solo Marty y yo podíamos caminar libremente por la casa. Yo no me acuerdo de nada de eso, pero me fío de lo que me cuenta papá. Lo único que recuerdo, incluso después de siete años, es el caramelo de goma semanal.

Todos los viernes, la abuela venía desde Duncade a visitar a sus nietos. En cuanto cruzaba la puerta principal, la abuela siempre cantaba la primera frase de una canción inventada.

—¿Quién es el mejor niño del mundo? —cantaba, bailando un poco.

Y aquel que acabase la canción con las palabras: «Soy yo» recibía un premio especial: un gran caramelo de goma rojo en forma de niño, tan grande que podía pasarse toda una tarde chupándolo.

Marty siempre había reclamado el valioso premio porque era el único que sabía hablar. Empezó a hablar cuando tenía un año y medio, mientras que yo no dije ni una palabra hasta que cumplí casi tres años. La abuela tenía caramelos de goma de tamaño normal para que los comiéramos los demás, pero todos estábamos celosos del gigante caramelo rojo en forma de niño, incluso Donnie, que lo único que hacía era espachurrarse caramelos en el pelo y luego se preguntaba por qué le seguían las abejas.

Marty estaba muy orgulloso de su caramelo gigante en forma de niño. Era una de las cosas

que lo distinguían como líder del grupo. Todos los viernes, cuando ya tenía el caramelo de goma bien agarrado en la mano, me buscaba para jugar a un jueguecito perverso.

—¿Qué es esto? —me preguntaba sujetando el caramelo.

—Un caramelo niño —gimoteaba yo, sabiendo lo que se avecinaba.

—¿Y qué es Max? —era siempre la segunda pregunta de Marty.

—Max niño —yo le contestaba, sabiendo lo que Marty quería oír.

—Entonces este debes de ser tú —concluía Marty, y arrancaba furiosamente la cabeza al caramelo de un bocado.

—Buuuaaaaaa —empezaba a llorar yo a moco tendido en estado de espanto. Si Marty se sentía especialmente malo, estrujaba el cuerpo del monigote de gominola hasta que le salía líquido rojo por el agujero del cuello.

—Estas son tus tripas —afirmaba, y en ese momento la versión de mí de dos años corría gritando a mamá a chivarse de lo que Marty había hecho.

Por desgracia, en aquel instante yo solo sabía unas treinta palabras, así que lo único que podía decirle a mamá era:

—Marty se ha comido el caramelo.

Lo cual no parecía muy grave, ¿verdad?

Y durante siglos fue así. Y mientras Marty disfrutó del caramelo gigante y el resto de los caramelos de goma de tamaño normal, nuestro hermano mayor vivió feliz. Pero todos los viernes yo quería ser quien acabase la canción de nuestra abuela y reclamar el caramelo gigante antes de que Marty me hiciera rabiar con él.

Mi oportunidad llegó un viernes por la mañana en que la abuela llegó pronto. Marty estaba en la cocina cuando se abrió la puerta principal. Donnie estaba en el parque y yo me encontraba perfectamente situado en el recibidor.

La abuela entró cantando.

—¿Quién es el mejor niño del mundo?

Yo estaba tan emocionado que no podía decir las palabras.

—*Misoyo* —farfullé.

La abuela me hizo cosquillas en la barbilla.

—¿Has dicho algo, pequeño Max?

Cerré los ojos, respiré hondo y dije claramente:

—Soy… yo.

—Bueno —dijo mi madre, que se dirigía hacia la cocina—. Parece que a partir de ahora tendrás que traer dos caramelos de goma gigantes. Ahora tenemos otro niño mayor.

Y la abuela sacó un pañuelo de papel del bolso y desenvolvió el caramelo de goma que había dentro. Lo puso en la palma de su mano: rojo, jugoso y perfecto. Lo cogí con cuidado, como si fuera la joya más preciada de la colección de un pirata.

El caramelo gigante era mío.

Lo chupé una vez, para asegurarme de que era real, luego me lo metí todo en la boca, por si a cierta persona se le ocurría robármelo.

Marty salió de la cocina justo a tiempo para ver una gran y gorda baba roja resbalando por mi barbilla. Durante un momento no supo lo que estaba pasando, luego vio a la abuela con el pañuelo vacío en la mano.

—¡Mi caramelo gigante! —dijo—. Pero yo soy el mayor.

Yo esperaba fuegos artificiales. Cuando Marty perdía los nervios, podía ser realmente espectacular, pero aquel día no hubo fuegos artificiales.

Marty sencillamente se dio media vuelta y salió de la habitación sin decir palabra.

De haber sabido lo que se avecinaba, creo que habría preferido los fuegos artificiales.

Capítulo 5

Dos en uno

Cuando Marty me vio chupando el caramelo gigante, tomó una decisión. La decisión era que no había espacio suficiente en la casa para dos comedores de caramelos gigantes.

Uno de los dos tenía que marcharse, y no iba a ser él. Marty decidió que lo mejor sería que yo me fuera a vivir a otra parte, pero la cuestión era cómo hacer que me marchara. Él sabía que yo quería mucho a mamá y a papá y que tal vez no me gustara la idea de mudarme.

Marty lo pensó un buen rato. Era muy aficionado a los programas de animales, así que decidió que la mejor manera de averiguar cómo conseguir que me marchara era verme del modo en que los observadores de pájaros ven a los pájaros. Marty se construyó una pequeña tienda detrás del sofá con una manta y tres almohadas, luego metió algunos trastos para espiar a su hermano menor. A mi abuela le pareció algo muy

mono y muy gracioso, pero en realidad no sabía lo que tramaba.

Marty se quedó dentro de la tienda al menos veinte minutos, que era el rato más largo que había pasado en su vida quieto en un mismo lugar. Incluso en la cama, Marty no paraba quieto, como si le dieran cuerda. Solía acostarse en una cama y despertarse en otra.

En aquellos veinte minutos, mi hermano mayor descubrió tres cosas sobre mí: una, que yo babeaba mucho; dos, que aún usaba pañal y tenían que cambiármelo cada poco tiempo, y tres, que me encantaba caminar por encima de las líneas rectas. Esto último es algo que todavía hago. Siempre que me cruzo con una línea recta en un camino, en una carretera o en una alfombra, me gusta caminar por encima de ella y simular que soy un trapecista del circo. Nunca me siento tan feliz como cuando camino por encima de una línea recta.

Marty se dedicó a pensar durante un rato en lo de las líneas rectas y al final se le ocurrió una idea. Si encontraba una lo bastante larga, yo me iría de casa y caminaría por ella hasta que llegara a otra casa en la que pudiera vivir. No parece un plan particularmente brillante, pero no está mal para un niño.

Resultó que Marty sabía exactamente dónde encontrar esa línea recta, pero era un lugar al que teníamos prohibido ir, un lugar muy peligroso que Marty había visto desde el coche. Decidió que valía la pena correr el riesgo, salió gateando de la tienda y vino hasta donde yo bailaba la música que oía en mi cabeza, tal como hacen los niños de dos años.

—Oye, Max —dijo dándome unos capones en la frente para ver si había alguien en casa—. ¿Quieres jugar a una cosa?

Me froté la cabeza, pero no estaba enfadado. Marty solía darme tantos porrazos en la cabeza

que yo creía que era el modo en que se saludaban los niños.

—Jugar, sí —dije asintiendo. Marty casi nunca se ofrecía a jugar conmigo. En realidad, consideraba que jugar con sus hermanos pequeños era un castigo, y suplicaba que lo enviaran a la cama antes que hacer eso.

—Vale —dijo Marty—. Vamos a jugar a caminar por la línea.

—Caminar por la línea —asentí.

Marty se llevó un dedo a los labios.

—Es un juego secreto. No se lo puedes decir a mamá.

Yo me llevé un dedo a los labios e hice una pedorreta.

—Juego secreto —dije intentando guiñar el ojo.

Cuando era muy pequeño, guiñar el ojo y silbar eran las dos cosas que creía que sabía hacer, pero no sabía. Lo que en realidad hacía era parpadear y canturrear.

Marty se limpió de la cara las babas que le había dejado mi pedorreta con mi oreja izquierda. No con mi verdadera oreja, sino con la oreja del mono azul de conejito que yo llevaba puesto. Todavía recuerdo aquel mono de conejito. Lo llevé hasta que tuve cuatro años, aunque fuera para niños de doce a dieciocho meses. Al final, mamá tuvo que cortarle los pies para que yo pudiera

caber en él. Me encantaba ese traje de conejito, sobre todo la capucha de lana que me protegía los oídos del viento, y las dos orejas de conejo que aleteaban cuando corría. Era como una manta de seguridad integral. Marty utilizaba aquellas orejas para limpiar cualquier cosa que derramara, y siempre estaba agarrándome de la cabeza y arrastrándome para que secara cosas.

—Sé donde está la línea recta más grande y mejor del mundo. ¿Quieres verla?

Mis ojos se abrieron como platos.

—Sí, por favor. —Siempre he tenido unos modales excelentes.

—Vale. Entonces tienes que hacer lo de dos en uno.

«Dos en uno» era un juego que solíamos practicar cuando Marty se dignaba jugar con alguno de sus hermanos pequeños. Era un juego fácil de aprender. Simplemente te colocabas en el jersey de Marty, metías la cabeza y los brazos dentro los agujeros y luego caminabas patosamente por la casa gritando como un monstruo de dos cabezas y cuatro brazos. A mamá y a papá siempre les encantaba vernos jugar a Dos en Uno, a menos que Marty llevara puesto su jersey bueno.

Lo que yo no sabía era que cuando jugábamos a Dos en Uno, la segunda persona del jersey quedaba escondida para cualquiera que estuviera detrás. La abuela y mamá solo podían ver a Marty, y debieron de pensar que yo había subido al parque con Donnie.

Marty me dio un coscorrón en la coronilla, y como yo tenía el brazo en su manga, también me di en la cabeza.

—Ponte encima de mis pies —ordenó.

—Pies, *Mary* —asentí y puse mis botas azules sobre sus zapatillas deportivas. Cuando tenía dos años, no siempre conseguía pronunciar «Marty» bien, de modo que solía llamarlo «Mary», lo cual no le hacía ninguna gracia.

—¡Marty! ¡Mar-tyyy! Sí, caminar por la línea. Tenemos que pasar por las verjas.

Yo estaba horrorizado.

—¿Verjas?

—Sí, por las verjas. ¿Qué dices, vienes conmigo o no?

—Vienes —dije. Aunque no me permitían pasar por las verjas, no quería perderme la mejor línea recta del mundo.

—Bien. Bueno, entonces cierra el pico. Se supone que es un juego secreto.

Yo cerré el pico. Todo el mundo sabe que los juegos secretos son los mejores. Hasta un niño de dos años sabe eso.

Así que Marty salió al jardín por la puerta de atrás. Desde allí rodeó un lado de la casa y usó un palito para abrir la puerta de seguridad. Cinco años más tarde, M. P. usaría ese mismo palo para abrir la puerta. Era un palo muy resistente.

Tras abrir la puerta de seguridad, Marty levantó los brazos y me echó de su jersey.

—Muy bien, conejo azul —dijo—. Corre detrás de Marty.

—Corre detrás de Marty —dije poniéndome de pie.

Yo estaba muy emocionado. La mejor línea recta del mundo estaba cerca. En mi cerebro de dos años, imaginaba una línea blanca resplandeciente en el cielo. Estaba atada con un cordón de zapato, pero, en lugar de un lazo doble, tenía una cara.

—Corre —dijo Marty, consciente de que, de un momento a otro, mamá podía descubrir que nos habíamos fugado.

Yo trotaba detrás de Marty, moviendo las orejas por el camino de la verja principal. Aquel era el límite de mi mundo cotidiano. Nunca había traspasado la verja principal sin la compañía de un adulto.

—Verja —dije algo nervioso.

—Verja —afirmó Marty, agarrando con las dos manos el pestillo de la verja. Se colgó de él como un mono, hasta que con su peso consiguió bajarlo. Era una habilidad valiosa donde las hubiera. ¡Quién sabe cuánto hacía que Marty llevaba escapándose de esa manera al mundo exterior!

La puerta se abrió y me pareció que el ruido de fuera se volvía, de repente, más fuerte.

—Mamá —dije con el labio tembloroso.

Marty sabía que estaba a punto de perderme y tenía que pensar algo rápidamente.

—¡Mira! —me gritó, señalando hacia adelante—. ¡La línea!

—¡Línea! —chillé entusiasmado. Seguí a Marty, que cruzó la verja hasta la zona prohibida.

Nuestra casa estaba en una urbanización recién construida, en medio de una parte totalmente nueva de la ciudad. A nuestro alrededor había montañas de arena y cubos gigantes de edificios.

No hicimos ni caso de los columpios nuevecitos y relucientes ni de los parques infantiles, nos dirigimos directamente hacia la misteriosa y maravillosa línea. Durante todo aquel camino que

recorrimos por la hierba, en mi cabeza, la línea imaginaria me llamaba.

«Más deprisa, más deprisa. Te estoy esperando.»

Pronto llegamos al límite de la urbanización.

Aquel era un territorio nuevo para mí. Lo único que nos separaba del resto del mundo era una cerca de acero y, si intento recordarlo con detalle, veo claramente que alguien como Marty jamás sería derrotado por una mera cerca de acero.

En efecto, mi hermano encontró un lugar por donde podíamos escabullirnos.

—Los perros pasan por aquí —explicó, arrastrándome por las orejas de conejo.

Tenía razón. Mi traje de conejo olía a perro. Mamá tendría que volver a lavarlo, y yo me quedaría junto a la secadora hasta que estuviera otra vez a punto para ponérmelo.

Ahora estábamos en el arcén de una gran carretera. Las carreteras eran el lugar más prohibido del mundo: lugares por donde pasaban coches a toda velocidad y donde rugían los camiones gigantes, con parrillas como dientes de dinosaurio, dispuestos a zamparse a cualquier niño que fuera lo bastante tonto para poner un pie en el asfalto.

—Carretera —dije con una voz temblorosa y preocupada.

—Esta es una carretera muuuy especial —dijo Marty—. ¡Mira! ¡No hay coches!

Marty tenía razón. No había coches, ni uno solo. Para demostrarlo, se puso a bailar en mitad de la carretera negra, moviendo los brazos y chillando como un mono, desafiando a los coches a que fueran a por él.

Ahora sé que no había coches porque la carretera no estaba acabada. Era parte de la nueva autopista que conectaría nuestra ciudad con Dublín.

Marty señaló el suelo.

—Aquí está la línea. ¡Mira!

Seguí su dedo con la mirada. Allí, en mitad de la carretera, estaba la línea blanca más hermosa que había visto en mi vida. Era grande y estaba salpicada de chispas, y de inmediato caí bajo su hechizo.

«Camina por encima de mí, Max —dijo la línea—. Camina por encima de mí para siempre.»

La línea parecía no tener fin, prolongándose eternamente en la distancia.

—Camina por la línea —dijo Marty, animándome con un tironcito de la oreja izquierda.

Intenté resistirme. Intenté con todas mis fuerzas darme media vuelta y correr de regreso a casa, pero la llamada de la línea era demasiado intensa. Ahora sé que estaba hipnotizado por su rectitud y su brillo.

Caminé hasta la mitad de la inmaculada carretera nueva y puse un pie azul sobre la línea. No me ocurrió nada malo, así que puse el otro pie delante del primero, talón con punta. Así es como se anda por una línea.

Marty estaba encantado.

—¡Lo ves! Ahora sigue andando por la línea. Sigue, sigue sin detenerte, para siempre. Si llegas a una casa con personas dentro y perros y un canario y cosas, puedes vivir con ellos y comerte sus caramelos de goma gigantes en forma de niño.

Después de las primeras frases, yo ya no oí nada más.

«Ahora, sigue andando por la línea. Sigue, sigue sin detenerte, para siempre.»

Di un pasito, luego otro.

Todo lo demás desapareció de mi pequeño cerebro de niño, salvo el deseo de caminar por esa línea para siempre jamás. Realmente, era la mejor línea del mundo, porque podías notarla además de verla. Sobresalía de la carretera como si fuera una gruesa tira de plastilina. Me olvidé de mamá y papá, me olvidé también de mis herma-

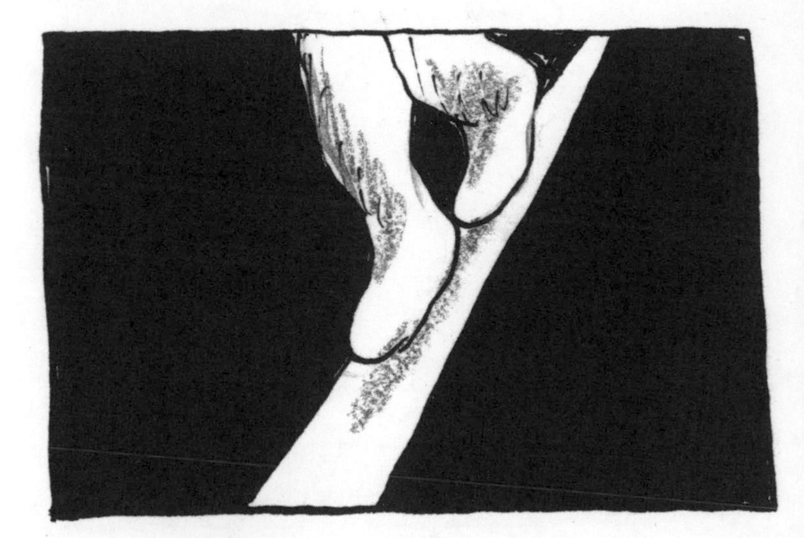

nos y de los caramelos de goma. Lo único que tenía en la cabeza era aquella maravillosa línea.

—Adiós, Max —gritó Marty—. Espero que encuentres una bonita casa, lejos, muy lejos.

—Adiós, *Mary* —respondí y me puse en marcha por aquella maravillosa línea.

«Funcionó», pensó Marty, escabulléndose por debajo de la valla y corriendo hacia casa, por suerte mamá no se había dado cuenta de que se había marchado.

Marty corría muy rápido cuando tenía prisa, y se cronometró hasta la valla. Nunca había sido un gran contador, así que Marty se cronometró cantando «El tamborilero» y comprobando lo lejos que había llegado. Y cuando iba por: «que soy pobre también, y no poseo más que un viejo tambor. Rom pom pom pom, rom pom pom pom», ya estaba en la puerta trasera.

Mientras tanto, yo caminaba felizmente por encima de la línea. Era un excelente caminador de líneas, y mis pies casi nunca tocaban el asfalto. También era porque el alquitrán recién puesto aún estaba húmedo y pegajoso en algunos tramos y, cada vez que tocaba la carretera, unos hilos negros y elásticos se me pegaban a los pies y se estiraban como si fueran un chicle. Pero ni siquiera aquellas cuerdas gomosas que tiraban de mis pies podían estropearme la diversión en aquella maravillosa línea.

Seguía andando sin parar, talón y punta. Al cabo de un rato, llegué a una suave curva de la carretera. Aquello me decepcionó un poco; una línea que se convierte en una curva no puede ser una auténtica línea recta, pero decidí pasarlo por alto y seguir caminando. Al fin y al cabo volvía a enderezarse después de la curva. En realidad, al llegar a los conos de tráfico anaranjados, en el tramo en que la nueva carretera se unía a la vieja y se llenaba de tráfico, la línea era recta como una flecha.

Capítulo 6

Un puñado de orejas

Marty volvió a entrar a hurtadillas en la casa e intentó parecer relajado e inocente. Cuando papá estaba relajado, ponía los pies en el sofá y leía el periódico. Así que Marty cogió el periódico local de la mesa, se sentó en el sofá y lo abrió encima de él. El periódico era tan grande que parecía como si Marty se hubiera hecho otra tienda de campaña. De hecho, cuando mamá salió de la cocina y vio la cabeza de Marty asomando por debajo del periódico, pensó que estaba jugando a ir de acampada.

—Esta otra tienda realmente es muy bonita, Marty —dijo haciéndole cosquillas en la barbilla.

—Lo siento mamá —dijo Marty—. No puedo hablar. Estoy leyendo noticias importantes.

—Ya veo —dijo mamá con voz grave—. Esta semana ha habido un montón de noticias importantes en la ciudad. —Dio unos golpecitos a un artículo de la primera página—. Pronto abrirán la nueva carretera. Tendremos mucho más ruido por aquí y será más peligroso con todos esos coches y camiones. A partir de ahora tendremos que tener mucho cuidado.

A Marty no le gustó cómo sonaba aquello de tener mucho cuidado. Acababa de dejar a su hermanito en la carretera nueva.

—¿Co... coches y ca... camiones? —dijo con nerviosismo. Cuando Marty se ponía nervioso, tenía problemas para pronunciar bien las sílabas.

—¡Sí! La nueva carretera será la ruta principal para ir a Dublín. La usarán todos los camiones del ferry. Papá pondrá un pestillo más fuerte en la verja para que Max se mantenga alejado de los coches. Ya sabes que es como un monito. Ahora mismo, lo único que separa la carretera nueva de la vieja es un puñado de conos de tráfico. Esa nueva carretera es el último lugar al que tendría que acercarse un niño.

Marty se puso más pálido que los trozos de papel en blanco del periódico.

—¿Qué pasa, Marty? —preguntó mamá, que reconoció la cara de culpabilidad de mi hermano en cuanto la vio.

Marty no dijo nada. No quería que me hicieran daño, pero tampoco quería meterse en líos y, por lo que él sabía, yo ya me había ido a vivir con otra familia.

—¡Marty! ¿Qué has hecho?

Mamá me buscó en la habitación. Normalmente, cuando Marty hacía algo malo, el que salía malparado era yo.

—¿Dónde está Max, Marty? ¿Dónde está tu hermano pequeño? —Entonces mamá cayó en la cuenta de lo que ella y Marty acababan de hablar.

—¡Oh, no! No lo habrás dejado en la carretera, ¿verdad?

A Marty aquella deducción le pareció arte de magia. Entonces aún ignoraba que las madres saben lo que está pasando por la cabeza de sus hijos solo con mirarlos a la cara.

—Sí —gimió—. No sabía lo de los co... coches y los ca... camiones. Lo si... siento.

Mamá entró corriendo en la cocina.

—Max está en la carretera nueva —le dijo a mi abuela—. Vigila a los niños, ¿quieres? Y asegúrate de que Marty no pone un pie fuera de ese sofá. Cuando vuelva tendremos una charla muy seria.

Marty escondió la cara debajo del periódico. Por mal que se sintiera en aquel momento, sospechaba que en breve iba a sentirse mucho peor.

Yo avanzaba despacito hacia los conos de tráfico de color naranja. Para ser sincero, estaba un poco cansado de caminar, y las tiras de asfalto que llevaba pegadas a las botas hacían que cada paso me costara más que el anterior. El ruido del tráfico de la vieja carretera se volvía más fuerte, y ahora podía ver nubes de polvo revolotear por donde pasaban los camiones a una velocidad infernal. Claro que a los dos años, no sabía palabras como «revolotear» ni «nubes de polvo». Probablemente pensaba cosas como: Max cansado. Max quiere mamá.

Y, como si me hubieran concedido el deseo, oí la voz de mamá a mis espaldas. Me di la vuelta y allí estaba; saltó la cerca y luego corrió hacia el centro de la carretera donde yo estaba. Movía las manos y gritaba. Por supuesto, ahora sé que quería que me parara en el acto, pero en aquel momento pensé que íbamos a jugar al pilla pilla.

Yo siempre estaba dispuesto a jugar un buen pilla pilla, así que corrí tan rápido como mis bo-

tas empapadas de alquitrán me lo permitieron, directo hacia los conos anaranjados. Debían de ser la meta.

Mamá gritó más fuerte, así que yo corrí más deprisa. Aquello era divertido.

—¡Divertido! —grité—. ¡Max corre! Mami no puede pillarlo.

Pero mami sí podía pillarme; antes era profesora de niños y solía correr detrás de los que se escapaban. Echó la cabeza hacia delante y esprintó, decidida a pescarme antes de que llegara a la vieja carretera y al tráfico estruendoso.

En unas cuantas zancadas me cazó, segundos antes de que yo llegara a los conos. Me agarró por las orejas azules de conejo y me sostuvo en el aire.

—¡Oh, gracias a Dios! —jadeó sujetando fuerte las orejas—. ¡Por un pelo!

Cuando la respiración de mamá se tranquilizó un poco, notó mi traje de conejo muy ligero.

Aquello se debía a que yo no estaba dentro de él. Yo seguía caminando con paso inseguro hacia los conos, vestido solo con las botas y un pañal de tela. Al agarrar las orejas de conejo y tirar hacia arriba, mamá había soltado los corchetes de mi mono, y yo me había caído por los agujeros de las perneras.

—¡Ahhh! —gritó mamá—. No me lo puedo creer.

Pero yo sí me lo creía, porque estaba sucediendo. Yo ya había llegado hasta los conos y avan-

zaba todo recto por la vieja carretera. Allí me detuve, dando saltos con los brazos levantados en señal de victoria, con el tráfico circulando en las dos direcciones.

Así que, desesperada, mamá hizo algo que no se supone que hacen las madres. Dijo una mentira, una especie de mentira.

—Mira, Max —dijo, extendiendo el puño cerrado y vacío. Luego cantó—: ¿Quién es el mejor niño del mundo?

—¡Soy yo! ¡Soy yo! —grité y corrí a reclamar el premio.

—Sí, eres tú —dijo mamá, cogiéndome en brazos—. Y también eres el peor niño del mundo por darme un susto así.

Entonces mamá me abrazó tan fuerte que me olvidé por completo del caramelo de goma gigante que se suponía que había ganado.

Me llevó en brazos hasta que volvimos a estar dentro de la verja del jardín, lejos del peligroso tráfico.

Cuando llegamos a casa, todo el mundo estaba metido en un buen lío, incluso papá.

—¡Se suponía que tenías que poner un pestillo más fuerte en la verja! —dijo mamá.

—Ahora lo pongo —contestó papá saliendo a toda prisa con su caja de herramientas—. Ahora mismo.

Yo era el siguiente.

—¿Y tú qué estabas haciendo ahí fuera en la carretera? Es el lugar más peligroso del mundo. Hasta un niño de dos años lo sabe.

—Lo siento, mamá —murmuré, y enseguida me acordé del premio que se suponía había ganado en la carretera—. ¿Caramelo gigante?

La cara de mamá se puso muy roja.

—¿Caramelo gigante? Ahora quiere un caramelo gigante. Tienes suerte de que no te encierre en el parque un año entero. Ve inmediatamente a tirar estas botas a la basura. Están totalmente estropeadas.

Incluso a los dos años, yo sabía que aquel no era el momento de discutir sobre el caramelo de goma.

Marty aún estaba bajo el periódico. Temblaba como una hoja, temblaba de nerviosismo.

—Salga de ahí debajo, señorito Martin —dijo mamá muy seria. Cuando mamá está enfadada

de lo lindo, nos llama a todos por nuestro nombre completo, de usted, y además añade «señorito» al principio.

—¿Abriste tú la verja y dejaste a Max en la nueva carretera?

Marty fingía estar leyendo el periódico.

—Lo si... siento, mamá. Es... estoy le... leyendo las noticias.

Mamá le quitó el periódico de un fuerte manotazo.

—Deja en paz las noticias; tenemos nuestras propias noticias de última hora aquí mismo.

Marty sabía que ya estaba metido en el peor aprieto de su vida. No es fácil para un niño de cuatro años meterse en líos —se lo perdonan casi todo solo con hacer pucheros—; tienes que hacer algo realmente malo.

—¡No se te ocurra hacer ni medio puchero! —le advirtió mamá—. Estoy demasiado enfadada para eso.

Marty decidió probar el viejo truco. Habló despacio, muy concentrado.

—Te quiero, mamá. Y a papá, y a Max y a mi hermanito pequeño, he olvidado su nombre, pero también le quiero.

A mamá aquello no le impresionaba.

—Sí, yo también te quiero, Marty, pero lo que pasa es que esta vez has ido demasiado lejos, aunque solamente tengas cuatro años. Esto es lo peor que has hecho en tu vida, así que tendrías que recibir el peor castigo que yo haya puesto en toda mi vida.

Volví a entrar en la sala justo a tiempo de oír cuál sería el castigo.

—Tendrás que ordenar el baño todos los días después del té durante dos semanas.

Ordenar el baño no parece un castigo tan severo, ciertamente no tan severo para que Marty berrease en el sofá dando patadas a los almohadones con los talones como estaba haciendo. Pero ordenar el baño es más severo de lo que parece. En la mayoría de las casas, los bebés llevan pañales desechables que se tiran después de usados. En nuestra casa no. Mamá y papá están decididos a contribuir a la conservación del medio

ambiente y por eso usan pañales de tela: pañales reutilizables.

Esto significa que, en aquellos tiempos, se tenía que lavar el equivalente a los pañales apestosos de dos niños. Aquella cantidad de pañales habría atascado cualquier lavadora, así que papá inventó su propio método de lavado. Los pañales se metían en una bañerita de plástico para bebés, se sumergían en agua caliente y polvos de lavar, y se removían con un remo de canoa cortado por la mitad. Este método era conocido como «remar los pañales». Ningún niño había sido obligado a remar los pañales antes, pero con los años se convertiría en un castigo muy popular y eficaz. Popular entre nuestros padres, eficaz entre los niños.

Obviamente, cuanto más usados estaban los pañales, menos divertido era removerlos. Algunos días eran peores que otros. Dependía de lo que hubiéramos comido. Las verduras, por ejemplo, eran buenas para nuestra salud, pero malas para nuestros pañales.

Y, mientras Marty estaba allí tumbado en el sofá, discutiendo con desesperación, Donnie le miraba desde el parque con una sonrisita en su cara de bebé. Era como si supiera que Marty tenía problemas y que lo único que tenía que hacer para empeorarlos era comerse la verdura.

Durante las dos semanas siguientes, mamá se sorprendió al ver cómo todos sus niños se zampaban las zanahorias y los guisantes a la hora de cenar. Nunca teníamos bastante, todos excepto Marty.

Capítulo 7

La escalera de caracol de Patapalo

Y esta es la historia que le conté al abuelo el sábado siguiente en el faro. La historia de cómo Marty me había abandonado en la carretera nueva.

Disfruté contándosela. Era una historia fabulosa y sería difícil superarla.

Cuando acabé, sabía que el abuelo estaba impresionado. Había dejado de sacar brillo a las lentes en la mitad y estaba allí de pie boquiabierto.

—¿Estás seguro de que todo esto es verdad? —preguntó.

—Sí, me lo dijo papá.

—Es que salen un montón de detalles. Cosas que tu padre no tendría por qué saber.

—Comprobé los detalles con mamá y con la abuela. Incluso Marty recuerda algunas cosas.

El abuelo puso un poco de pulimento en el trapo.

—Esta sí que es buena, contramaestre. Abandonado en la carretera. Tienes un pasado triste y lleno de problemas.

Sonreí de oreja a oreja, encantado de oírlo. Solo esperaba poder encontrar otra historia desgraciada para la semana siguiente.

—Ese Marty es un auténtico granuja —añadió el abuelo.

Me sorprendí defendiendo a Marty.

—No es tan malo. Solo tenía cuatro años en aquel entonces.

—Pero no ha cambiado mucho, ¿verdad?

—Supongo que no —dije, pensando en un martes por la mañana en que Marty había recubierto una pelota de tenis con papel de aluminio y me había convencido de que había encontrado una valiosa piedra lunar.

—Esta semana tú eres el ganador, contramaestre —dijo el abuelo—. No tengo nada que pueda superar tu aventura.

—Que te muerda un tiburón en la cabeza también es bastante bueno, abuelo —dije mostrándome generoso.

El abuelo me despeinó el pelo con la mano libre.

—Yo también lo creía, hasta que oí tu historia.

Cuando acabamos de sacar brillo a las lentes, bajamos los ciento dieciséis escalones hasta el piso de abajo. El abuelo se paró en el primer escalón, el grande, y se sentó en él. Dio unos golpecitos a su lado para que me sentara junto a él. Y yo me senté.

—¿Sabes una cosa, Max? Como tú eres mi pequeño contramaestre, te contaré la leyenda de la escalera de caracol de Patapalo...

—Ya la sé —le interrumpí—. Ya me la has contado. Patapalo no podía con los escalones altos y los fue tallando con el paso de los años, pero murió antes de terminar el último.

El abuelo me hizo un guiño.

—¡Ah, esa es la historia oficial! Eso es lo que contamos a los turistas. Solo los fareros y sus contramaestres saben cuál es la verdadera historia, y creo que ha llegado la hora de que te la cuente. ¿Quieres oírla?

Yo asentí. ¿Qué niño de nueve años no estaría interesado en oír una historia secreta?

El abuelo se acercó a mí, por si alguien nos estaba escuchando.

—Lo cierto es que el viejo Patapalo no tenía ningún problema para subir la escalera; de hecho, tenía una pierna de madera especialmente corta para poder dar las curvas.

—Entonces, ¿por qué rebajó los escalones? —dije casi en un susurro.

—No lo hizo —respondió el abuelo—. Patapalo estaba tan harto de que su suegro se quejara de que los escalones eran tan pronunciados que subió el primero.

—¿Para qué hizo eso? —pregunté en voz alta.

—Para que cuando su suegro lo visitara al año siguiente, Patapalo pudiera decirle que había rebajado todos los escalones para él, salvo el primero, que no le había dado tiempo.

—¿Y su suegro lo notó?

—No —se rió el abuelo—. El primer escalón es tan alto que todos los demás parecen pequeños. Su suegro se lo agradeció y lo consideró el mejor yerno que un hombre podía tener. Incluso le dejó a Patapalo mil libras en su testamento, y nunca se volvió a quejar de los escalones. De hecho, nadie se volvió a quejar de los escalones, porque el primero hace que los demás parezcan pequeños.

El abuelo me guiñó el ojo.

—Hay una moraleja en todo esto que debes aprender, ¿sabes? En realidad, es un poco como nuestras sesiones de quejas de los sábados.

—¿Qué es la moraleja?

El abuelo se puso en pie.

—Tienes que encontrarla tú solo.

Fruncí el entrecejo.

—No, abuelo, lo que quiero decir es: ¿qué es una moraleja? ¿Qué es lo que se supone que tengo que descubrir por mí mismo?

—Una moraleja —dijo el abuelo— es un mensaje secreto que hay dentro de una historia.

—¿Como un código de espías?

El abuelo me sacudió con uno de sus trapos.

—No, no es como un código de espías. Es más como una segunda historia oculta.

—¿Como la tinta invisible?

—No, contramaestre —dijo el abuelo mientras fingía que me estrangulaba—. Es como si la

historia pintara un cuadro que no está dentro de las palabras.

—¿Como un jeroglífico?

El abuelo hizo una mueca.

—¿Estás seguro de que eres mi nieto?, ¡bobón! Me rindo. Pregúntaselo a tu madre, ella es la profesora de la familia.

Así que se lo pregunté a mamá en el coche cuando regresábamos a casa.

—Mamá, ¿qué es una moraleja?

Y mamá dijo:

—Bert, deja de hurgarte las narices. —Y luego—: Donnie, no muevas el retrovisor para mirarte. —Y—: M. P., quita la mano del calcetín de tu hermano. —Y por fin—: La moraleja de una historia es la lección que nos cuenta la historia.

—¿Por ejemplo? —dije. Con mamá siempre había un «por ejemplo».

—Por ejemplo, *La liebre y la tortuga*. La moraleja de esa historia es que a veces es mejor hacer las cosas con cuidado y despacio que hacerlas a toda prisa.

Lo pensé un rato. ¿Cuál era la moraleja de la escalera de caracol de Patapalo? El abuelo había dicho que el escalón grande hacía que los otros parecieran pequeños. ¿Qué tenía eso que ver con nuestras sesiones de los sábados? Solo hablábamos de nuestros problemas, y los del abuelo siempre eran más grandes que los míos. Hasta aquel día.

De repente lo comprendí, porque soy muy inteligente, como dice mi boletín de calificaciones en la sección «Comentarios». Nuestros problemas eran como los escalones de Patapalo. Y los grandes problemas del abuelo siempre hacían que mis problemas parecieran pequeños. El abuelo hacía que yo me sintiera mejor, sin que yo me diera cuenta. Hasta ese día. Tal vez ese día yo hice que el abuelo se sintiera mejor.

Sonreí de oreja a oreja, y mamá me miró por el espejo retrovisor.

—Pareces satisfecho, Max. ¿Sabes ahora lo que es una moraleja de una historia?

—Sí —respondí—. Lo sé.

ÍNDICE